〔宋〕蔡襄等 著

荔枝譜

下册

清賞叢書

廣陵書社
中國·揚州

清賞叢書

荔枝譜

〔宋〕蔡襄等著

卷三

節候

清明宜種荔支、龍眼。《廣語》。

荔支以臘而萼，以春而華，夏至而翕然子赤，生于木而成於火也。皮紅肉白，而核復純丹。火包其外，復孕其中也。肉白爲金，金爲内外火所鍊，故味醇和而甘。其液乃金水之精，甘又屬土，備五行之粹美，而以火爲主者也。粤以火德王，凡花多朱色，皆火花，實多朱實，皆火實，太陽烈氣之所結。火實之屬凡百種，而荔支爲長。火爲母，荔支則火之長子也。同上。

水枝先熟，自夏至後熟者皆山枝，亦曰火山。崔弼《荔支詞》註。

荔支其甜曰上糖，酸曰上水。三月熟者曰三月青，四月熟者曰犀角子，七夕曰七夕紅。而大熟于小至，以蟬鳴爲候應。此時熟者曰金釵子，或謂即黑葉也。次曰進奉，曰大造，曰塘壆，是皆水枝之貴者也。《廣語》。

自掛綠至狀元紅，皆火山之屬也。火山善變。滋味百出，隨其土爲高下。然遲熟，熟必在水枝之後。

粤東荔支社日，犀角子先熟。郭夢菊詩云：『未摘龍牙開

笑口，先嘗犀角沁詩脾。』龍牙亦荔支名。又，三月熟者曰三月青，四月熟者曰四月紅，予詩：『三月青連四月紅，離支早熟讓南中。』蓋以先年十月作花，故早熟也。又，粵中荔支先閏一月而熟。

雒陽獨以牡丹爲花。歲二月十五日，牡丹盛開，曰花朝。古詩：『牡丹開日是花朝。』廣州以荔枝、龍眼爲果。歲夏至日，賈人以板箱載荔支而北，曰果箱。荔支大熟曰果日。俱同上。

五月荔支丹。《觚賸·廣東月令》。

南廣荔支熟時百鳥肥。《廣志》。

粵謠：『鴉蟬叫，荔支熟。』黎簡《五百四峰堂詩》注。

凡天晴，暴雨忽作，日不避雨，雨不避日，點大而疎，是曰白撞雨，亦曰過雲。諺曰：『下白雨，娶龍女。』或日色微黃，且日且雨，是曰黃雨。白雨宜禾，黃雨不宜禾。予詩：『炎天白雨早禾宜，更爲園村熟荔支。』《廣語》。

荔支歲初而蕾，二月而花發。發時多雹則花落實小，多雨則花腐，少雨則花液相膠而不實。估計者視其花以知其實多少則判之，是曰買焙，其人名曰焙家。龍眼亦然。

東粵問園亭之美，則舉荔支以對。近水則種水枝，近山則

種山枝。有荔支之家，是謂大室。當熟時，東家誇三月之青，西家矜四月之紅，各以其先熟及美種爲尚。主人餉客，聽客自摘，或一客而分一株，或一株而分十客，各以其量之大小。受荔支之補益，莫不枕席丹膚，沐浴瓊液。既飽復含，未飢先擘。或辟穀者經旬，或卻葷者連日。其有開荔社之家，則人人競赴，以食多者爲勝，勝稱荔支狀頭。少者有罰，罰飲荔支酒數大白。

俱同上。

粵俗：兒童有賭蔗、賭柑、賭荔之戲。蔗以刀自尾至首破之，不偏一黍，又一破直至蔗首者爲勝。柑以核多爲勝。

荔以粉與墨各塗之入瓦甖中，共摸之，以得白者爲勝。和凝詞云：『椒户閑時，競學樗蒲賭荔支。』可知此戲古已有之，但其法不傳耳。

卷四

品類

三月紅出香山。相傳宋端宗幸馬侍郎南寶宅，時值三月，荔支尚青，帝甚羡之，曰：『惜未熟，不能啖也。』越日盡紅。至今三月上市，故名。《嶺海樓雜記》。

白花洲，在香山縣港外，其地皆漁人、佃人所居，多種玉荷包。其熟在三月紅之後，黑葉之前。時各荔未熟，飛鼠每夜來聚食，必以罟網其樹，方不殘毀。《學海堂集》詩注。

犀角子，熟于玉荷包之後。本豐而末鋭，似犀角之倒垂，其核亦然，宛然一小犀角也。雖萬顆無稍異者。《古香齋雜記》。

耑孩胡景曾。自佛山遺荔支，皮緑而液甘，核甚細，曰白蠟子。昨陳元孝。程周量子衎祖。二子遺犀角子，核差大，肉差薄，較不及也。南海荔支，以掛緑爲第一，無從致之。王士禎《北歸志》。

水枝以黑葉爲上，黑葉又以番禺古壩所產爲上，順德之三貴次之。荔支葉青緑，此獨黑，故曰黑葉。《廣語》。

陳村荔支，實大核小，其味甘香，名曰金釵子。昔人解金釵而得其種，即俗呼黑葉者也。葉春及《順德縣志》。

興化十八娘、增城黑葉，皆核小肉滿，如水晶而香，成都所

無也。方以智《通雅》。

黑葉，蒂間有側生子。以夏至熟，得時令之正，故多食不病。其餘各種雖佳品，多食喉間終有火氣也。崔弼《白雲山志》。

荔支産于瓊山者曰進奉子，核小而肉厚，味甚嘉。土人摘食，必以淡鹽湯浸一宿，則脂不黏手。《海槎餘録》。

徐㶿《荔支譜》云：『進貢子，其熟最先，實如黑葉，味甘。』林鐵崖《荔支話》云：『進貢子，其瓤不溼。』蓋即進奉子也，奉與貢聲近。實似黑葉，但粒子大而疎，肉稍鬆，味亦略淡，熟在黑葉之後，云最先者，誤也。到處有之，不獨瓊山、新會，而産瓊山者爲最佳。凡日曬焙乾者，俱用進奉，蓋黑葉肉厚難乾，久之易壞，進奉則不然。故昔之入貢者皆此種，其得名以此。

荔支出新會者名進奉，絶佳。有以小甕載販陽江者，到即競報。徐文長詩注。

塘壆最香，稍遜黑葉，而爽脆可口。《高要縣志》。

凝冰子，以日照之，内外洞徹，微核在中，半明半滅。《廣語》。

水浮子，重而不沈，以置水中，隨波下上。

又有如素馨香者，如露花、如丁香者。丁香有大小之分，

與小華山、緑羅衣、交几環三種，皆美絶。是皆火山之屬。湛文簡公昔從楓亭懷核以歸，所謂尚書懷者也。俱同上。

增城自白岡沙一帶二十餘里，無非荔支，謂之尚書懷。崔弼《荔支詞》注。

尚書懷，可植盆盎中結實。《高要縣志》。

大丁香，殼厚，色紫，味微澀。《廣東通志》。

露頭花，草名，最香。婦女採以晒油，爲膏沐之飾。荔支一種，香似之，故名露花。《學海堂集》詩注。

廣州有無核枇杷，南海有無核荔支。莊綽《雞肋編》。

山荔之美者多無核，近蔕一點檀暈微作核痕，又作雙實，實皆寬膊尖腰。一種大如拇指長而不圓，狀若玉蘭之蕾，味香以脆。觸其殼即爆開成兩，亦無核，即有，亦甚微小。名馬口鈴，出番禺平山。《廣語》。

一種大如龍眼，亦無核，絶香，名曰香荔，出新興。同上。

香荔支，兩粤所無，唯新興有之。或無核，或有核而絶小。他處蒔之則變。《新興縣志》。

荔支多不及閩，而較早一月，唯新興者過之，美於閩之狀元紅。官其地者，亦不可多得。尚逆在藩時，荔將熟，差官封

守之，熟則索夫進送，故多伐去之。吴震方《嶺南雜記》。

新興荔有絶小者，核亦小如丁香，可稱明璫之目。温汝适《攜雪齋詩鈔》注。

白香山謂荔支朶似蒲桃，新興荔纖小匀圓，尤爲酷似。同上。

香荔實小而長，即龍牙荔也。新會有數株，云自新興移種，而肉比黑葉較脆，實亦較大。唯新魁溝聶家園兩株、都會村黎家園兩株耳。何殿春《晚香草堂雜記》。

新興香荔，六祖法堂一株最佳，云是其手植，枯而復榮者數矣。今其孫枝尚存，每年必生數百枚。《學海堂集》詩注。

土人言：『自免貢後，荔支結實香味，迥不如昔。』亦一奇也。

廣州荔以掛緑爲第一品。實大，味甘香，核細如豌豆。其殼上赤如丹砂，下緑如澄波，故名。陳鼎《荔支譜》。

掛緑者，紅中有緑，或在於肩，或在於腹。緑十之四，紅十之六。以陽精深固，至秋而熟，生祇數十百株，易地即變。爽脆如梨，漿液不見，去殼懷之，三日不變。《廣語》。

掛緑出增城沙貝，荔支中第一品也，蒂旁一邊突起稍高，

謂之龍頭；一邊突起稍低，謂之鳳尾。熟時，紅紫相間，一緑線直貫到底，故名。其接樹成實者，香味或同，龍頭、鳳尾亦同，而緑線則無矣。官買者於二三月，持百金散布於有荔之家，俟六月中，或收十斤，收五斤，不問其前數也。若親友餽遺，則以小錫盒載十枚八枚，以他火山副之。要求多，亦不可得也。崔弼《珍帚編詩》注。

掛緑、玉欄、金井，如夜光無價，非可以金錢得之。《廣語》。

荔支紫、緑二種，幾於分道馳。舊傳掛緑謂中界緑線，茲所見乃緑多紫少。又見一種，遠看如丹荔，近觀有細點，如點苔，間有小核，色香味皆殊絶。宜郡志謂增城掛緑，在諸品之上也。温汝适《攜雪齋詩鈔》。

緑蘿即指掛緑也。《廣語》及崔、温二條言掛緑最，確無有上紅下緑者。定九雖嘗至粤，實未得見掛緑，特豔其名，而爲此臆説耳。嶺右人説端硯得之耳聞，加以臆造。其可笑大率類此。

凡摘掛緑者必唱歌，蓋防其偷啖也，他荔則不然。林嗣環有唱荔支之説，正掛緑事也。

新會種甜橙之苦，亦與掛緑同。近只有大眼水橙，亦甜

橙之别種。特其實稍大，味亦頗淡，識者以此辨之。

五羊荔支上上者爲緑蘿。楊萬里詩注。

松口有鷓鴣斑、蒨紅、纖緑、丁香結諸種。丁香結，尤擅三絶。《學海堂集》詩注。

石華言：松口種荔者，十家而五丁香結，將熟時，滿路皆香。陳一盤於廳事，則入户者先知之，特以僻在一隅，又不能致遠。客過或非其時，即值其時矣，或竟不得見，故不甚著名耳。

水晶丸，俗名糯米賫，出於番禺鹿步司之北村。肉厚而韌，香液與掛緑絶似，而實較大，核則小如赤豆耳。崔弼《珍帚編詩》注。

水晶丸，實大核小，味甘，食之令人暢然意滿。家石華擬之鮒魚無骨。宮保阮雲臺先生曰：『此嶺南第一品也。』自此，人以一品荔稱之。

桂味，殻有刺，香似犀角。番禺蘿岡洞牛首山最盛。崔弼《珍帚編詩》注。

蘿岡洞，後枕牛首峰，鍾氏世居其地，田狹山多，種果爲業，梅、荔爲獨。盛夏時，荔火流丹，全洞皆赤，有火山、田巖、桂味數種，而桂味尤勝。《番禺縣志》。

蘿岡洞有蘿坑寺，寺前後種荔，殆以萬計。土人言種最善變，有忽酸而忽甜者，不可名狀也。桂味摘下五六日，色不變，實略小於水晶丸，故覺稍遜。水晶丸肌體豐豔，桂味則如淡掃蛾眉，要皆絶世佳人也。

近始得見桂味，殼厚而粗，味乃獨絶，始信得名非偶。温汝适《攜雪齋詩鈔》。

黑葉佳者多穮核，此亦核小，肉豐瑩若明璫，佳品也。

桂味與掛緑同時，然掛緑以名著多贋，不如桂味之真也。俱同上。

苧麻子，惟增城沙村有之。崔清獻祠前一株最佳，每實重可一兩。崔弼《珍帚編詩》注。

苧麻結子，狀如小荷包。此種闊膊扁身，亦如之，故名。香脆次於桂味，其品稍遜者，味微酸，核亦略大也。當與新興香荔及黑葉相伯仲，餘則如晉、楚之視邾、莒矣。

嘉應松口鄉與閩之汀、漳接境，故其種有陳家紫。《學海堂集》詩注。

珊瑚墜，産嘉應州鳳尾閣。五月熟，以香色勝。

順德有鳳山，故謂之鳳城。有宋荔一樹，土人名曰尷尬，

以其熟在黑葉之後，火山之前，故名。俱同上。

尷尬荔得水而浮，蓋水浮子種也。

南方果之美者，有荔支。梧州火山者，夏初先熟，而味少劣。其高潘者最佳，五六月方熟，有無核類雞卵大者，其肪瑩白，不減水晶，乃奇實也。段公路《北户録》。

五月後，遲熟而小者，名火山。黄佐《廣東通志》。

《嶺表録異》一條與《北户録》同，皆云火山四月熟，不知荔支將盡而後有火山，其熟最遲。泰泉粤人故知之獨真也。又《廣語》：『凡山枝，俱可謂之火山。』其實火山自有一種，味酸肉薄，與大造皆荔之下品也。

早熟有大、小將軍，有孩兒拳，稍遲爲紅繡鞋、緑羅袍，不能多得。《新興縣志》。

紅繡鞋，實小而尖，形如角黍，核如丁香，味極甘美。徐㶿《荔支譜》。

將軍荔最大，核亦大，然肉多不覺。出惠州者佳。《廣東通志》。

花嶺頭亦遲熟，名曰夜光，疑即明月光也。《學海堂集》詩注。

公孫，産東莞。每蒂一大一小，土人呼爲公領孫。皮薄，核小，肉厚。陳鼎《荔支譜》。

公領孫每一大者，有十餘小者環之。其色紅綠各半，味亦美。《廣語》。

丫髻，形最小，生皆並蒂，故得是名。多無核，雖有亦小。同上。

鳳卵，身微長，與白玉罌、玉盤龍皆美種。崔弼《珍帚編詩》注。

驪珠，産惠州豐湖。同上。

狀元紅，最多亦最賤，下品也。《廣東通志》。

荔支，南中之珍果也。梧州江前有火山，上有荔支，四月先熟。原注：以其地熱，故曰火也。核大而味酸，其高新州與南海産者最佳。五六月方熟，形若小雞子，近蒂稍平，皮殼微紅，肉瑩寒至。又有焦核者，性熱液甘，食之過度，即蜜漿制之。劉恂《嶺表録異》。

磨盤，皮粗厚，味甘，大如雞子，近蒂處甚平，七月熟。《月令粹編》引《荔支譜》。

勝畫，皮厚刺尖，味甘肉豐，大似桂林，七月熟。出長樂縣六都者最佳，他種不及。同上。

桂林，一名野種，又名椰鍾，出粵東，傾身而聳肩。林嗣環《荔支話》。

石中棘表，其脰肩肩，然神漿雋穎，夐爾逸群，別格甄奇，不緣貌勝者，桂林也。謝杰《荔支名記》。

熟于七夕者，曰七夕紅。《學海堂集》詩注。

中秋綠，色綠，味微酸，至中秋始熟。《廣東通志》。

譚世祥，以種樹人得名，産端溪峽下。譚敬昭《聽雲樓詩》注。

案，譚世祥，蓋即以種樹人姓名名之。種與常殊，出水坑村。比黑葉荔差小，每顆近蒂綴小荔，如半菽。殼有黑殼，内衣淡紅色，肉白微黃，作玫瑰花香。止一株，生石臺，曰石臺譚世祥。鄉人接其枝，僅有生者，味稍遜水坑。又有荔曰周紹玉，狀類火山，荔味頗擬譚世祥，近核尖則肉白而澀，亦作玫瑰花香，而稍有蜜氣。相傳紹玉宦于閩，移種歸植。見《高要新志》。

一種名黎仲思，思讀去聲。出順德，亦以人得名。《高要縣志》。

案，《練要堂集》：『黎仲賜，荔支名，土人得種于黎，而嘉其稱。』

有蠟荔支，黃色，味稍劣於紅者。劉恂《嶺表録異》。

蠟荔，肉豐核小，佳種也。惟花邑有之。《花峰樵唱》。

曰焦核小，曰春花，曰胡偈，此三種爲美。鼈卵，大而酸，

以爲酸和。《廣志》。

玉露霜，産新會厓門山。白殼丹肉，不摘，經冬不落。其味甘酸，啖之止嗽，降肺火，療怯病。陳鼎《荔支譜》。

明月珠，産南海番禺山中，在掛緑之次。其色如火，味同掛緑，而皮厚少遜。然不過數株，俱産大姓家，遊客不惟不得食，并且不得見也。

妃子笑，産佛山。色如琥珀，皮光，大如鵝卵，其甘如蜜，其臭如蘭，皮薄而肉厚，核小如豆。漿滑如乳，啖之能除口氣，使齒牙香經宿，宜乎妃子之破顔也。止一株，亂離以來，亦爲劫灰矣。

萬里碧，産東莞戴家園。皮色碧，如中秋雨後天，與葉色不同。味甘香，肉潤滑。成熟皮色不變。

驪頂珠，産順德龍巖山中。圓大而色如血。每成熟時，一葉數果，不見葉，但見朱實垂垂，望之如錦覆枝頭，燦爛奪目，味甘香。

珊瑚樹，産清遠山中蔡家。止一樹，高數丈。每至熟時，葉俱脱，望之如數仞珊瑚。但實小，然漿甚多，每二枚可滓一甌，味甘而香滑。

牟尼光，産潮州大埔山中，爲潮郡第一品。大如雞卵，每一顆可清漿一甌。其味如乳，飲之功同參苓。

瓊瑶彈，小如彈丸，而無核。味甘如蜜，有梅花香。皮薄如紙，亦香甜不澀，可並啖也。出程鄉山中。

花草春，産惠來山中。皮香如橘，肉亦如之。味甘而厚。

已上三種，皆爲潮陽最。然不可多得也。

琥珀光，又名火齊，出雷州海康梅氏宅内。實大如柑，味甘。性最熱，食不過五枚，過五則鼻衄如注。

水晶球，止一樹，在潮陽平湖書院中。白花、白殼、白肉、

白核，而漿如血。味甘而香沁肺腑，亦異種也。俱同上。

鄭熊《廣中荔支譜》：玉英子、燋核、沈香、丁香、紅羅、透骨、牂牁、僧耆頭、水母子、蒺藜、大將軍、小將軍、大蠟、小蠟、松子、蛇皮、青荔支、銀荔支、不意子、火山、野山、五色荔支。《廣群芳譜》。

惠州荔支，味酸，樹亦甚少，至東莞漸多漸佳。五羊、黑葉諸品，遂與閩産伯仲矣。《客惠紀聞》。

蒼梧多荔支，生山中，人家亦種之。《吴録》。

興寧荔枝，味亞於南海。仲振履《興寧縣志》。

卷五

雜事上

南越王佗獻高帝鮫魚荔支，帝報以葡萄錦四匹。《西京雜記》。

元鼎六年，破南越，起扶荔宮，以植所得奇草異木。荔支自交趾移植百株，無一生者，連年猶移植不息，偶一株稍茂，終無華實，帝亦珍惜之。一旦萎死，守吏坐誅者十人，遂不復蒔矣。其實則歲貢焉。《三輔黄圖》。

《丹鉛總録》曰：『漢武帝破南越，建扶荔宮，以荔支得名也。此荔駢生，若十八娘之類，曰扶荔者，亦若扶竹、扶桑

云。』愚謂升庵何從知之，此老説典，每穿鑿傅會，即此可發一粲。

永元十五年，嶺南舊貢生龍眼、荔支，十里一置，五里一堠，晝夜傳送。唐羌上書曰：『伏見交趾七郡，獻生荔支、龍眼等，觸犯死亡之害，此二物升殿，未必延年益壽。』帝下詔，敕大官勿復受獻。謝承《後漢書》。

廣州南海郡中都督府，土貢荔支。《唐書·地理志》。

帝幸驪山，楊貴妃生日，命小部張樂長生殿，因奏新曲未有名，會南方進荔支，因名曰荔支香。《唐書·禮樂志》。

貴妃欲得生荔支，歲命嶺南馳驛致之，比至長安，色味不變。《通鑑》。

唐鮑防，襄州人，天寶末舉進士。時明皇詔馬遞進南海荔支，七日七夜達京師，防作《雜感詩》云：『五月荔支初破顔，朝離象郡夕函關。雁飛不到桂陽嶺，馬走皆從林邑山。』是知貴妃所食荔支實出南海，已見劉昫《唐書》並防詩。蔡君謨謂愛嗜涪州荔支，歲命驛致。羅景綸以爲『一騎紅塵』乃瀘戎之産，恐誤矣。《徐氏筆精》。

《浪齋便録》曰：『唐世進荔支，貢自南方。』《楊妃外傳》云貢自南海，杜詩亦云南海及炎方。惟張君房以爲忠州，東坡以爲涪州，未得其真。近閱《涪州圖經》及詢土人云涪州有妃子園荔支，故君謨譜曰：『天寶中，妃子尤愛嗜，涪州歲命驛致。』又曰：『洛陽取于嶺南，長安來于巴蜀。』此實録，後人不復置喙矣。徐𤊹《荔支譜》。

阮福曰：考新舊《唐書·地理志》東西川土貢無荔支，而獨著其名於嶺南。又《唐書·禮樂志》載南方進荔支事，若是蜀産，當曰西方。然則開元所貢者爲嶺南所産無疑矣。又杜子美詩曰『憶昔南海使，奔騰進荔支』，又云『炎方每續

朱櫻獻』，皆是嶺南貢荔支。子美親見其事，更爲確實。

又曰：昔人有七日至長安之説，殆妄也。白居易《荔支圖序》云：『其實離本枝，一日而色變，二日而香變，四五日外，色香味盡去矣。』此果三日後，色香俱變，豈有七晝夜汗馬之上而尚可食者？況自廣州至關中數千里，即飛騎置堠，亦不能七日即至也。當如漢武移植扶荔宮故事，以連根之荔栽於器中，由楚南至楚北襄陽丹河，運至商州、秦嶺不通舟楫之處，而果正熟，乃摘取過嶺，飛騎至華清宮，則一日可達耳。

愚意閩與蜀俱有貢，特貴妃嗜南海佳種，故驛遞尤速耳。《燈影記》云：『天寶中，正月十五夜，玄宗于常春殿撒閩江紅錦荔支，令宮人拾之。』則閩亦有貢，但非鮮荔爾。

羅浮先生軒轅集，年過數百而顏色不老。宣宗召入內庭，因語京師無豆蔻荔支花。俄頃，進二花，皆連枝葉，各數百，鮮明芳潔，如纔折下。蘇鶚《杜陽雜編》。

劉崇龜爲清海軍節度使，親友或干以財，率不答，但畫荔支圖與之。《唐書》本傳。

荔支洲在番禺縣，南漢劉氏創昌華苑於其上。《海録碎事》引

《圖經》。

荔支灣在郡城西五里，僞南漢昌華故苑。《廣語》。

甘泉苑在城北，其橋曰流花。鋹與女侍中盧瓊仙、黄瓊芝、李蟾妃，女巫樊胡子及波斯女爲紅雲宴于此。同上。

劉鋹每年設紅雲宴，正荔支熟時。陶穀《清異録》。

陵山，南漢劉氏之墓也，在廣州郡城東北二十里，漫山皆荔支樹。方信孺《南海百詠》。

海山樓建于嘉祐中，今在市舶亭前。唐子西有登樓懷古詩，宋時經略安撫于五月五日閱水軍教習，于其上嘗新荔。同上。

藏荔支法：就樹摘完好者，留蒂寸許，蠟封之，乃翦去蒂，復以蠟封翦口。以蜜水滿浸，經數月，味色不變。《廣語》。

惠州太守東堂，祠故相陳文惠公。堂下有公手植荔支，郡人謂之將軍樹。今歲大熟，嘗啖之餘，下逮吏卒。其高不可致者，縱猿取之。蘇軾《食荔支》詩序。

卷六

雜事下

蘇長公在海外，有詩云：『日啖荔支三百顆，不妨長作嶺南人。』至一歲，荔支不熟，遂有『空寓嶺表』之語。遐方珍果爲昔賢所愛嗜如此。《梧潯雜佩》。

熙寧四年三月四日，遊白水山佛迹巖，沐浴于湯泉，晞髮于懸瀑之下。浩歌而歸，肩輿却行，以與客言，不覺至水北荔支浦上。晚日葱曨，竹陰蕭然，時荔子纍纍如芡實矣。父老指以告曰：『及是可食，公能攜酒來遊乎？』欣然許之。蘇軾《和陶歸園田居》詩序。

坡亭在鶴山縣坡山鄉石螺岡，前逼大江。東坡謫儋州過此，流連旬日，鄉人企之爲築此亭。離亭半里，東坡嘗於此摘荔，食之美，以指掐其核，後所生荔支有指甲痕。《肇慶府志》。

東坡荔支詩云：『雲山得伴松檜老。』常疑此句似泛，後見習閩廣者云：福州至於海南，凡宰上木松檜之外，雜植荔支，取其枝葉陰覆，所以有此語。《梁溪漫志》。

白樂天《荔支圖序》：『殼似紅繒，膜如紫綃，瓤肉瑩白如冰雪。』東坡『海山仙人絳羅襦，紅紗中單白玉膚』二語，蓋本

於此。馮應榴《蘇詩合註》。

宋端宗幸沙涌，處士馬南寶家荔支方熟，帝手摘一枝，後經摘處風味獨殊，人以爲異。《廣語》。

余在南中五年，每食荔支，幾與飯相半。鄭熊《番禺雜編》。

治平中，長沙趙琪作廣東提刑。韶州公宇西軒有荔支數本。中夏時，荔支方熟，琪將召刺史賞燕。一夕，荔支皆空，皮核滿地，琪深訝之，乃開西軒，見壁上有詩曰：『吾儕今日會嘉賓，滿酌洪鍾酒數巡。遍地狼藉不知曉，荔支又是一番新。』荔支皆積其下，二廣人傳異之。《青瑣高議》。

崔倅仕廣州，家有乳嫗善爲小伎嬉戲。一日，抱嬰兒戲門前，見有持福荔過前，兒欲之不得。嫗曰：『我別有計。』乃取小盒子置几上，旋發視之，則滿盒皆荔。崔倅聞而駭異，欲窮其術，嫗笑曰：『此乃神術，官人試觀之。』拉詣其家酒坊，時酒坊用大釜煮酒，嫗跳入其中，遂不見矣。《夷堅志》。

鬼蝴蝶，一名鬼車，大如扇，四翅，好飛荔支上。范成大《桂海虞衡志》。

荔字亦用欐字。衛洪七間云『蒲萄、龍目、椰子、荔支』作此字。段公路《北户録》注。

宋荔在南海縣九江鄉。張姓祖于南宋時，自珠璣巷始遷于此，手植此荔。老幹已枯，今孫枝亦合抱矣。子孫歲歲培護，結實如故。《九江鄉志》。

蔡譜云：『荔支木堅理難老，今有三百年者，枝葉繁茂，生結不息。』林鐵崖云：『荔樹有百年者，四五百年者，圍不圓滿，類作雞骨形，皮輒作鐵石色。』此亦近五百餘年矣。

秣陵武進士孫稚明，其父在日，家巨富，養鶴數十隻，中一隻飛去，七日不歸。及歸，口銜鮮荔支一穗，共七枚，迴翔而下，視之皆如新摘。孫召賓客子孫，玩賞累日，以示識者，皆云此東粵荔支，非閩種也。然事亦奇異矣。稚明爲太湖總練，親與予言。時稚明已八九歲，亦啖一枚云。《浪齋便録》。

明萬曆末，順德縣有吴章者，儒家子也，素好神仙之術，復耽音律，學業遂廢，生計亦疎。鄉人以其善書能解事，推爲里老。夏五月，吴自鄉輸糧於縣，逆旅主人園荔初熟，簇盤供客。吴以啖賸數枚，納之衣囊，將歸貽其婦。薄暮，步出郭，外行十餘里，凉月皎然，隱隱聞笙簫聲。往前跡之，仰見祥雲一隊，首列旌幢，中擁翠輿，從者數十人，或駕青牛，或乘白鹿，鶴鷺繽紛，霞裾縹緲，手中各執樂器，所奏之樂絶不與人間相類。吴

奔追諦聽，足若離地，而趨走甚速。未幾，天色向曉，從者顧謂吳曰：『子來已遠，得無迷於歸路乎？』吳因詢坐綵輿者爲誰，從者曰：『我泰山主碧霞元君，巡遊南極炎海，天妃設凝冰果會，留讌三日，今始回宮耳。』轉瞬間，祥雲四散，吳從空墜地，乃山東布政司署内。適閽人啓扉，驚以爲盜，執送藩伯，坐廳事鞫。吳曰：『章本順德民人，途遇仙樂，隨之而行，不知何以至此。』藩伯詫其妖妄，搜撿衣囊，一無所有，唯鮮荔數枚尚存。剖之，甘芳如新摘於樹者，始信其言，遂檄還粵東。吳自後頗厭烹飪之物，舉體輕逸，壽至九十八歲。《説鈴》。

舊時採貢，以蠟封其枝，或蜜漬之，而近代奸幸之徒連株以進，南人苦之。《廣州志》。

又法：在樹時，并荔葉翦之，置新瓦罋中，泥柊葉封其口，倒沈井中。有佳宴非時出之，色如新，可支一日。崔弼《白雲山志》。

鄉人常選鮮紅者，於竹林中擇巨竹，鑿開一竅，置荔子節中。仍以竹籜裹泥固封其隙，藉竹生氣滋潤，可藏至冬春，色香不變。徐𤊹《荔支譜》。

唐李文孺往昌樂瀧，家奴藏荔子于盎中，文孺初不知也。盛夏溽暑，香出盎外，流漿汎艷。因以麯和粳飯投之，三日成

酒，芳烈過于椒桂，人多效之，因作荔酒歌。黃佐《廣東通志》引《異史》。

荔支酒，土人齎持釀具就樹下，以荔支煏酒，一宿而成。《廣語》。

荔支燒，唐時最珍。白樂天云：『荔支新熟雞冠色，燒酒初開琥珀春。』然以陳者爲貴。同上。

某所作荔支湯，擘生荔支肉，別貯其自然汁，以水解白沙蜜，漸入和合，令味相得，即并荔支肉上火煮，減半，以瓷合貯之。計客數人一勺，又令入湯小半盞，煎沸，用紗囊盛龍腦，先

撲熱盞，乃注湯。黃庭堅《再答王補之》。

荔支止于韶州，至南雄則無。《潮州府志》。

《潮州府志》：大荔、細荔。大荔，荔支；細荔，龍眼也。《廣志》。

大顛禪師隱潮陽之靈山，出入猛虎相隨。手植荔支千餘株，以一銅壺灌之皆遍。檀萃《楚庭稗珠録》。

荔支自徑尺至于合抱，葉密如冬青，木性堅重，其根工人多取爲阮咸槽、彈棋局。《廣州記》。

粵土名花珍果，是處繁膴，而老樹之産于幽崖邃谷者，蟠

根屈曲，好事家置爲几案清玩。然工巧天成，無若高明謝氏之荔根屏者，色紫，高五尺許，横斜二尺，鐵幹離奇，新枝挺出，宛如畫梅滿幅。其疎花散布枝間，含苞折蕊，細大不一。復有寒雀三四，或翥或棲，各具生態，最上一枝倒垂，尤極夭矯。《粤觚》。

惠半農先生視學嶺南，諸生敏博者多在幕府，嘗手寫羅履先天尺。所試荔支賦、竹枝詞以傳之，其揚拔寒畯如此。檀萃《楚庭稗珠録》。

東莞峽山西多居人，荔支林蓊鬱蔽日。有高樓二十餘座，下販酥醪花果之屬者，交錯水上，稱水市焉。《廣語》。

金山在縣治北。宋祥符間，知軍州事王漢如闢其勝，竹木蔥蒨，荔支尤繁。《潮州府志》。

壬子仲冬，余至郡，見其近逼庫廩，伏莽爲虞，始命攘剔之，然不意其爲勝境。初得一徑，從石門東上幾半里，得地如砥，方廣三十步，左右有樹，惟荔支爲多，乃立亭曰荔支亭。王漢《金城山記》。

過羚羊峽，登峽山寺。寺前有東江亭，西偏有小圃，荔子紅緑相間。王士禛《北歸志》。

荔支山在蘿岡果村鄉前山，舊多荔，以故得名。《番禺縣志》。

望遠亭，在南雄州治，章郇公所作。公爲郡守，種荔子二株。王象之《輿地紀勝》。

荔支莊，去封川城十里。黃佐《廣東通志》曰：荔支莊，在封川縣靈州。宋知州田開詩『海上荔支莊』，即其地。

荔支圃，在惠州豐湖。

荔支亭，在潮州郡治後金山。俱同上。

郡城荔支，以唐吏部家園一株爲上。《海陽縣志》。

增城縣搜山，有荔樹高八丈，相去五丈而連理。《寰宇記》。

廣州信安縣，有連理荔支樹。同上。

黃楊山，在香山縣西南七十里，幽深峻極，其陽有烽堠。又十里曰荔支山，多荔支。《大清一統志》。

方壺洲，在增城縣城南，碧水縈洄，荔支蓊鬱。《廣州府志》。

荔支山，在縣西南一百四十里。其陽有林子，後嶺烽堠。其山舊名羅冲村，明黃副使鑰之祖母崔，命僮僕沿山遍植荔支，大抱凌霄，因名。前爲牛牯麓，山下有石高丈餘，廣五尺餘，石根棱棱，儼成小字，筆意如生。《香山縣志》。

荔支浦，在越塘磐石里。柳溪迴抱，石臺錯列，里人多觴

詠于此。《鶴山縣志》。

高明縣治東南六七里，有村曰禾倉頭，有龍眼樹而荔支實者，已二十年，可異也。《觚賸》。

跋

身未歷於瀘戎，足未抵於泉興，而必欲砭蔡鍼徐，步王踵張，雖屬土風之操，終慚鄉曲之見。然自尉佗備物，配鮫魚以作貢；漢武移植，等扶桑而署名。五堠十置，代憶永元，林邑桂陽，事證天寶。荔支之稱於中土，嶺南其最古矣乎？後賢狀南方之草木，志桂海之虞衡，未聞詳考，何況專書？《增江》紀於馬氏，而僅志其名。《廣中》譜自鄭熊，而已湮其說。其他零金屑玉，編璫截貝，類不足以導揚閎議，蒐羅令品，斯亦吾鄉之闕典，好事之深憂也。雁山詞丈，坡老詩才，曲紅賦手，結論園

之社，停揀樹之航。爰採舊文，撰成斯譜，其分門也當，其紀事也詳。彙此五編，都爲一集，文賦之繁，詩歌之侈，蓋闕如焉。登閩志而悉芟，繪巴圖而已薙，殆洪離之別傳，而粤嶠之奇書已夫。陶穀《清異録》，譏其不逮；李肇《國史補》，誇其尤勝。《徐氏筆精》，糾君謨、景綸之誤；《浪齋便録》，證長安、洛陽之異。誠齋詩註稱最上其緑蘿，《客惠紀聞》謂漸佳惟黑葉。類皆貴耳賤目，悦甘忌辛，揄揚標榜，迄無定論。然譜牒既詳，品第斯析，憶往事於六載，賦新詞之百篇。爲日蓋寡，蓄書不多，捃拾靡精，網羅豈遍？今覩是書，殆將覆瓿。權衡即審，敢沿秀水之談；軒輊所存，又覯陳留之序。謂阮賜卿公子。丙戌六月，南海譚瑩跋。

右《嶺南荔支譜》六卷，國朝吴應逵鴻來撰。按，吴丈號雁山，乾隆乙卯舉人，著有《雁山文集》《譜荔軒筆記》，久已刊行，而是譜幾至淪亡。兹從其從姪鶴岑明經假得，重編次讎校以付梓焉。嶺南荔支甲天下，顧《增江荔支譜》見《文獻通考》，鄭熊《廣中荔支譜》見《廣群芳譜》，均不存。近人亦無爲之者，則是譜殆嶺南應有之作。自序稱『事屬閩、蜀者，概從闕如』，

則所採均嶺南事也，亦頗詳贍。內卷六『坡亭在鶴山縣坡山』一條，據《肇慶府志》，殆即採自孝廉詩集自註者。又荔園，見《文苑英華》，有唐曹松《南海陪鄭司空游荔園》詩。阮賜卿公子謂即廣州荔支灣，劉漢昌華苑因故址爲之。原無確證，是譜獨遺之，或孝廉微旨也。不然，賜卿《嶺南荔支詞序》論嶺南貢荔支事，已採二條，入卷五案語中，不應獨遺其註也。又《觚賸續編》『奇嗜』一條，稱粵中荔支，必俟五六月紅熟，方以甘鮮擅名，非其候，則攢眉蹙口，不可下咽。李孝廉字倩爲，獨嗜純青者，蘸以香山鹽蝦醬，一啖百枚，嘗謂人間至味無踰於是。

又《五山志林》『荔瑞』一條，稱何經濟年八十，夫妻偕老，一子年過半百，未有孫。順治十五年戊戌正月，屋旁荔支忽開花結實，紅麗如春燈相輝映，嗣後連産六孫云云。則又或以其無關典要而遺之，不然，《南華》非僻書，豈孝廉未及流覽者？庚戌夏至令節，南海伍崇曜謹跋。

附録

荔枝吟詠選

詠荔枝

南朝梁・劉霽

叔師貴其珍，武仲稱斯美。良由自遠致，含滋不留齒。

荔枝賦并序

唐・張九齡

南海郡出荔枝焉，每至季夏，其實乃熟，狀甚瓌詭，味特甘滋，百果之中，無一可比。余往在西掖，嘗盛稱之，諸公莫之知，而固未之信。惟舍人彭城劉侯，弱年遷累，經于南海，一聞斯談，倍復嘉歎，以爲甘美之極也。又謂龍眼凡果，而與荔枝齊名，魏文帝方引蒲桃及龍眼相比，是時二方不通，傳聞之大謬也。每相顧閑議，欲爲賦述，而世務卒卒，此志莫就。及理郡暇日，追敘往心。夫物以不知而輕，味以無比而疑，遠不可驗，終然永屈。況士有未效之用，而身在無譽之間，苟無深知，與彼亦何以異也？因道揚其實，遂作此賦。

果之美者，厥有荔枝。雖受氣於震方，實稟精於火離，乃作酸於此裔，爰負陽以從宜。蒙休和之所播，涉寒暑而匪虧，下合圍以擢本，傍蔭畝而抱規。紫紋紺理，黛葉緗枝，蓊鬱霮

霽，環合棼麗。如蓋之張，如帷之垂，雲煙沃若，孔翠於斯，靈根所盤，不高不卑。陋下澤之沮洳，惡層崖之嶮巇，彼前志之或妄，何側生之見疵？爾其勾芒在辰，凱風入律，肇氣含滋，芬敷謐溢。綠穗靡靡，青英苾苾，不豐其華，但甘其實。如有意乎敦本，故微文而妙質。蔕藥房而攢萃，皮龍鱗以駢比；膚玉英而含津，色江萍以吐日。朱苞剖，明璫出，炯然數寸，猶不可匹。未玉齒而殆銷，雖瓊漿而可軼。彼衆味之有五，此甘滋之不一。伊醇淑之無算，非精言之能悉。聞者歡而竦企，見者訝而驚仡。心恚可以蠲忿，口爽可以忘疾。且欲神於醴露，何比數於甘橘？援蒲桃而見擬，亦古人之深失。若乃華軒洞開，嘉賓四會，時當燠煜，客或煩憒，而斯果在焉，莫不心侈而體忕。信雕盤之仙液，實玳筵之綺繢。有終食於累百，愈益氣而理內。故無厭於所甘，雖不貪而必愛。沉李美而莫取，浮瓜甘而自退。豈一座之所榮？冠四時而爲最！夫其貴可以薦宗廟，其珍可以羞王公。亭十里而莫致，門九重兮曷通？山五嶠兮白雲，江千里兮青楓。何斯美之獨遠，嗟爾命之不逢！每被銷於凡口，罕獲知於貴躬。柿何稱乎梁侯，梨何幸乎張公？亦因人之所遇，孰能辨乎其中哉！

成都曲

唐・張籍

錦江近西烟水緑，新雨山頭荔枝熟。萬里橋邊多酒家，游人愛向誰家宿？

荔枝圖序

唐・白居易

荔枝生巴峽間，樹形團團如帷蓋。葉如桂，冬青；華如橘，春榮；實如丹，夏熟。朵如蒲萄，核如枇杷，殼如紅繒，膜如紫綃，瓤肉瑩白如冰雪，漿液甘酸如醴酪。大略如彼，其實過之。若離本枝，一日而色變，二日而香變，三日而味變，四五日外，色香味盡去矣。元和十五年夏，南賓守樂天命工吏圖而書之，蓋爲不識者與識而不及一二三日者云。

題郡中荔枝詩十八韻兼寄萬州楊八使君

唐・白居易

奇果標南土，芳林對北堂。素華春漠漠，丹實夏煌煌。葉捧低垂户，枝擎重壓牆。始因風弄色，漸與日争光。夕訝條懸火，朝驚樹點妝。深於紅躑躅，大校白檳榔。星綴連心朵，珠排耀眼房。紫羅裁儭殼，白玉裹填瓤。早歲曾聞說，今朝始摘

嘗。嚼疑天上味，嗅異世間香。潤勝蓮生水，鮮逾橘得霜。燕脂掌中顆，甘露舌頭漿。物少尤珍重，天高苦渺茫。已教生暑月，又使阻遐方。粹液靈難駐，妍姿嫩易傷。近南光影熱，向北道途長。不得充王賦，無由寄帝鄉。唯君堪擲贈，面白似潘郎。

過華清宮絕句三首（其一）

唐·杜牧

長安迴望繡成堆，山頂千門次第開。一騎紅塵妃子笑，無人知是荔枝來。

荔枝詩有序

唐·薛能

杜工部老居兩蜀，不賦是詩，豈有意而不及歟？白尚書曾有是作，興旨卑泥，與無詩同。予遂爲之題，不愧不負，將來作者，以其荔枝首唱，愚其庶幾。

顆如松子色如櫻，未識蹉跎欲半生。歲杪監州曾見樹，時新入座久聞名。

和曹殿丞寄荔支

宋・蔡襄

荔子凝丹摘曉鮮，江南來路與雲連。托根曾是三山下，結實應歸萬木先。鄉國遠攜甘旨重，宴堂分玩色香全。清才仍更傳新唱，一一驪珠照眼圓。

謝任瀘州師中寄荔支

宋・文同

有客來山中，云附瀘南信。開門得君書，歡喜失鄙吝。筠籢包荔子，四角俱封印。童稚瞥聞之，群來立如陣。競言此佳果，生眼不識認。相前求拆觀，顆顆紅且潤。衆手攫之去，争奪遞追趁。貪多乃爲得，廉耻曾不問。喧鬧俄傾間，咀嚼一時盡。空餘皮與核，狼藉入煨燼。

荔枝四首

宋・曾鞏

剖見隋珠醉眼開，丹砂緣手落塵埃。誰能有力如黄犢，摘盡繁星始下來。

玉潤冰清不受塵，仙衣裁剪絳紗新。千門萬户誰曾得，只有昭陽第一人。

絳縠囊收白露團，未曾封植向長安。昭陽殿裏纔聞得，已道佳人不奈寒。

金釵雙捧玉纖纖，星宿光芒動寶奩。解笑詩人誇博物，祇知紅顆味酸甜。

食荔支二首 并引

宋・蘇軾

惠州太守東堂，祠故相陳文惠公。堂下有公手植荔枝一株，郡人謂之將軍樹。今歲大熟，嘗啖之餘，下逮吏卒。其高不可致者，縱猿取之。

丞相祠堂下，將軍大樹旁。炎雲駢火實，瑞露酌天漿。爛紫垂先熟，高紅掛遠揚。分甘遍鈴下，也到黑衣郎。

羅浮山下四時春，盧橘楊梅次第新。日啖荔支三百顆，不辭長作嶺南人。

荔支歎

宋・蘇軾

十里一置飛塵灰，五里一堠兵火催。顛阬仆谷相枕藉，知是荔支龍眼來。飛車跨山鶻橫海，風枝露葉如新採。宮中美人一破顏，驚塵濺血流千載。永元荔支來交州，天寶歲貢取之

涪。至今欲食林甫肉，無人舉觴酹伯游。我願天公憐赤子，莫生尤物爲瘡痏。雨順風調百穀登，民不飢寒爲上瑞。君不見，武夷溪邊粟粒芽，前丁後蔡相籠加。争新買寵各出意，今年鬭品充官茶。吾君所乏豈此物，致養口體何陋耶。洛陽相君忠孝家，可憐亦進姚黄花。

奉同子瞻荔支嘆

宋·蘇轍

蜀中荔支止嘉州，餘波及眉半有不。稻糠宿火却霜霰，結子僅與黄金侔。近聞閩尹傳種法，移種成都出巴峽。名園競擷絳紗苞，蜜漬瓊膚甘且滑。北遊京洛墮紅塵，箬籠白曬稱最珍。思歸不復爲蓴菜，欲及炎風朝露匀。平居著鞭苦不早，東坡南竄嶺南道。海邊百物非平生，獨數山前荔支好。荔支色味巧留人，不管年來白髮新。得歸便擬尋鄉路，棗栗園林不須顧。青枝丹實須十株，丁寧附書老農圃。

浪淘沙·荔枝

宋·黄庭堅

憶昔謫巴蠻。荔子親攀。冰肌照映柘枝冠。日擘輕紅三百顆，一味甘寒。重入鬼門關。也似人間。一雙和葉插

雲鬟。賴得清湘燕玉面，同倚闌干。

五月十日初食火山荔枝

明・徐𤊹

仲夏氣鬱蒸，輕紅綴荔子。厥種名火山，早熟差足喜。色香雖未全，驟食亦清美。不患甘傷脾，且愛冷沁齒。已勝餐來禽，猶堪敵青李。聊爾爲先驅，次第飽陳紫。欲結林下盟，請從今日始。

雨中望隔岸荔支

明・曹學佺

驟雨來青嶂，千枝蘸碧波。却驚流火駛，已覺洗紅多。沆瀣盤爲玉，流蘇帳作羅。薄言將采采，臨眺意如何。

嶺南荔支詞

清・阮元

嶺外書傳唐伯游，風枝露葉漢宮秋。如何天寶年間事，欲把涪州換廣州。

人道驪山驛騎長，漫疑不是嶺南香。漕河自古通扶荔，此

路難瞞張九章。

尤物誰曾比荔支，曲江風度那相宜。料應自悔初年賦，錯與掖垣人説知。

新歌初譜荔支香，豈獨楊妃帶笑嘗。應是殿前高力士，最將風味念家鄉。

紅雲宴罷有降王，馬上珠鞍入大梁。此果竟難降得去，自應也號『小南强』。

不妨長作嶺南人，儋耳椰冠竟欲真。南食昌黎歸去早，未曾買夏復探春。

端倪養出本天然，顆顆明珠露下圓。静裏工夫誰領得，江門真有荔支仙。

不須誇署尚書銜，懷核歸來味共參。此是白沙真種子，甘泉浸得水枝甘。

文華叢書

《文華叢書》是廣陵書社歷時多年精心打造的一套綫裝小型開本國學經典。選目均爲中國傳統文化之經典著作，如《唐詩三百首》《宋詞三百首》《古文觀止》《四書章句》《六祖壇經》《山海經》《天工開物》《歷代家訓》《納蘭詞》《紅樓夢詩詞聯賦》等，均爲家喻户曉、百讀不厭的名作。裝幀採用中國傳統的宣紙、綫裝形式，古色古香，樸素典雅，富有民族特色和文化品位。精選底本，精心編校，字體秀麗，版式疏朗，價格適中。經典名著與古典裝幀珠聯璧合，相得益彰，贏得了越來越多讀者的喜愛。現附列書目，以便讀者諸君選購。

人間詞話（套色）（二册）
了凡四訓　勸忍百箴（二册）
三字經・百家姓・千字文・弟子規（外二種）（二册）
三曹詩選（二册）
小窗幽紀（二册）
山谷詞（套色、插圖）（二册）
山海經（插圖本）（三册）
千家詩（二册）
王安石詩文選（二册）
王維詩集（二册）
天工開物（插圖本）（四册）
元曲三百首（二册）
元曲三百首（插圖本）（二册）
太極圖説・通書（二册）
水雲樓詞（套色、插圖）（二册）
片玉詞（套色、注評、插圖）（二册）
六祖壇經（二册）
文心雕龍（二册）
文房四譜（二册）
孔子家語（二册）
世説新語（二册）
古文觀止（四册）
古詩源（三册）
史記菁華録（三册）
史略・子略（三册）
四書章句（大學、中庸、論語、孟子）（二册）
白雨齋詞話（三册）
白居易詩選（二册）
老子・莊子（三册）
西厢記（插圖本）（二册）
列子（二册）
伊洛淵源録（二册）
孝經・禮記（三册）
花間集（套色、插圖本）（二册）
杜牧詩選（二册）
李白詩選（簡注）（二册）
李商隱詩選（二册）
李清照集附朱淑真詞（二册）

裝潢志·賞延素心錄（外九種）（二冊）
[illegible]（插圖本）（二冊）
詩品·詞品（二冊）
[illegible]（二冊）
[illegible]錄（二冊）
[illegible]（二冊）
楚辭（二冊）
夢溪筆談（二冊）
[illegible]（二冊）
[illegible]（二冊）
曾國藩家書精選（二冊）
[illegible]（二冊）
[illegible]（四冊）
[illegible]記（一冊）
[illegible]（二冊）
[illegible]（二冊）
[illegible]（二冊）
[illegible]（二冊）

[illegible]（二冊）
[illegible]（二冊）
[illegible]（二冊）
[illegible]（四冊）
[illegible]（二冊）
[illegible]（二冊）
[illegible]（插圖本）（二冊）
[illegible]（二冊）
[illegible]（一冊）
[illegible]（二冊）
[illegible]（二冊）
[illegible]（二冊）
[illegible]（四冊）
[illegible]（二冊）
[illegible]（二冊）

文華叢書書目　一

草堂詩餘（一冊）
孟浩然詩集（二冊）
孟子（附孟子聖迹圖）（二冊）
周易·尚書（二冊）
[illegible]（二冊）
金剛經·百喻經（二冊）
[illegible]（四冊）
東坡詞（[illegible]）（二冊）
東坡志林（二冊）
林泉高致·書法雅言（一冊）
長物志（二冊）
[illegible]（二冊）
[illegible]（二冊）
唐詩三百首（[illegible]插圖本）（二冊）
宋詞三百首（二冊）
宋元戲曲史（二冊）
辛棄疾詞（二冊）
近思錄（二冊）
[illegible]（二冊）

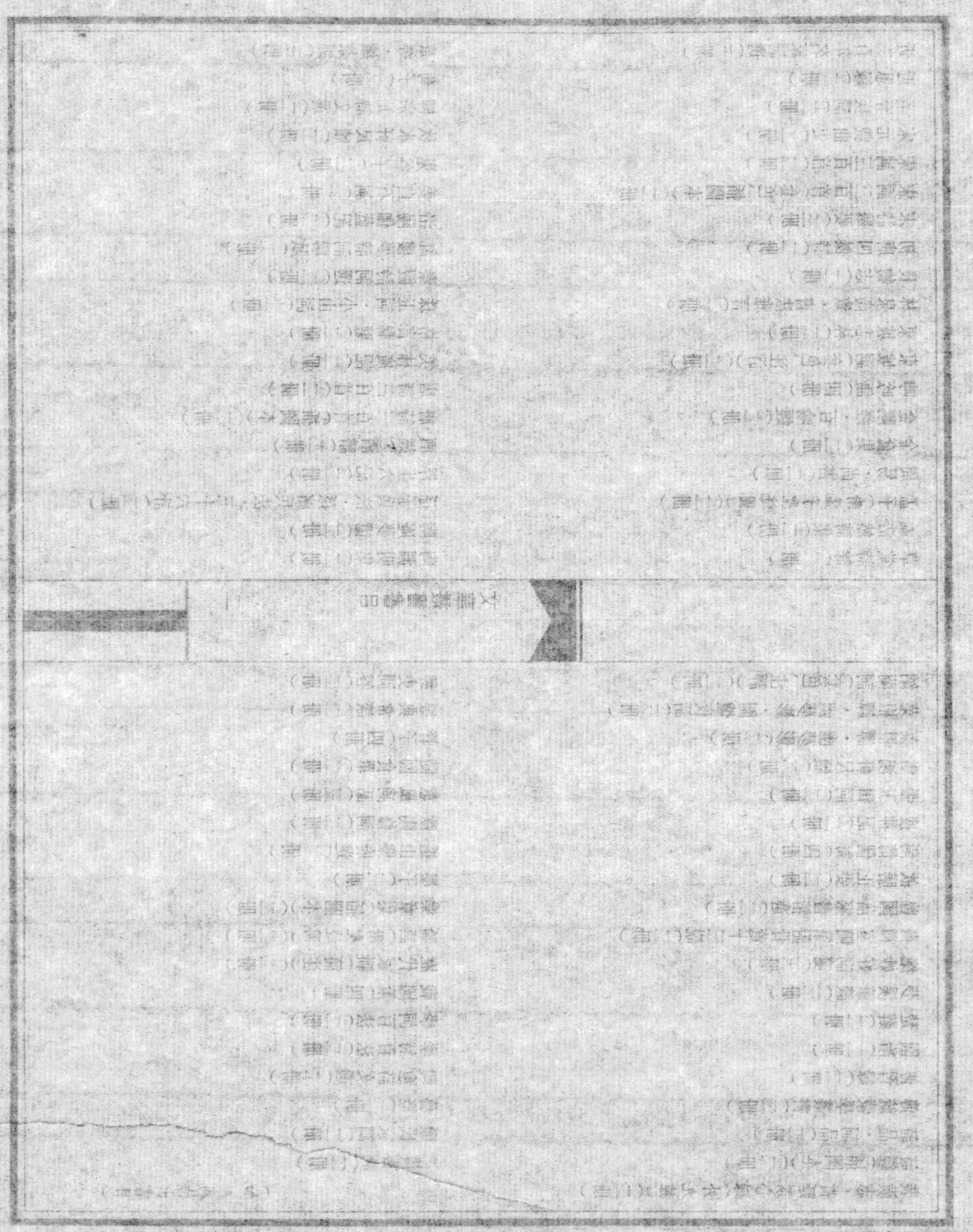

陶淵明集（二冊）
陶庵夢憶（二冊）
孫子兵法·孫臏兵法·三十六計（二冊）
浮生六記（二冊）
[illegible]·酒譜（二冊）
[illegible]（插圖本）（二冊）
[illegible]三百首（二冊）
笑林廣記（二冊）
[illegible]（二冊）
珠玉詞·小山詞（二冊）
[illegible]詩詞選（二冊）
[illegible]（二冊）
[illegible]（二冊）
[illegible]（一冊）
鬼谷子（二冊）
秋水軒尺牘（二冊）
[illegible]（二冊）
[illegible]子（二冊）
[illegible]（三冊）

清賞叢書

《清賞叢書》是廣陵書社最新打造的一套綫裝小開本圖書。本叢書選目均爲古人所稱清玩之物、清雅之言，主要是有關古人精緻生活、書畫金石鑒賞等著作，如高濂《遵生八箋》、張岱《西湖夢尋》、曹昭《格古要論》等，讓喜好傳統文化的讀者，享受古典之美，欣賞風雅之樂。

本叢書裝幀仍採用中國傳統的宣紙、綫裝形式，與本社另一套經典名著叢書《文華叢書》相得益彰，古色古香，樸素典雅，富有民族特色和文化品位。本社精選底本，精心編校，版式疏朗，字體秀麗，價格適中。現附列書目，以便讀者選購。

山家清供附山家清事（二册）
西湖夢尋（二册）
牡丹譜　芍藥譜（二册）
荔枝譜（二册）
香譜（二册）
洞天清禄集　格古要論（二册）
梅蘭竹菊譜（二册）
猫苑　猫乘（二册）
琴史（二册）
遵生八箋·四時調攝箋（四册）
遵生八箋·起居安樂箋（二册）
遵生八箋·飲饌服食箋（三册）
遵生八箋·燕閑清賞箋（三册）
*印典（二册）
*汝南圖史（三册）

（加*爲待出書目）